U0398061

图书在版编目（CIP）数据

从海洋到陆地的第一天／北京自然博物馆，王岑著；廖杰，喱当喱当工作室绘．—北京：北京科学技术出版社，2020.6
（穿越时空的自然博物馆）
ISBN 978-7-5714-0779-7

Ⅰ．①从…　Ⅱ．①北…　②王…　③廖…　④喱…　Ⅲ．①古生物－进化－普及读物　Ⅳ．① Q911.1－49

中国版本图书馆 CIP 数据核字（2020）第 026237 号

从海洋到陆地的第一天（穿越时空的自然博物馆）

作　　者： 北京自然博物馆　王　岑
绘　　者： 廖　杰　喱当喱当工作室
策划编辑： 阎泽群　刘　辰　代　冉
责任编辑： 张　芳
责任印制： 李　茗
图文制作： 天露霖文化
封面设计： 沈学成
出 版 人： 曾庆宇
出版发行： 北京科学技术出版社
社　　址： 北京西直门南大街16号
邮政编码： 100035
电话传真： 0086-10-66135495（总编室）
　　　　　　 0086-10-66161952（发行部传真）
　　　　　　 0086-10-66113227（发行部）
网　　址： www.bkydw.cn
电子信箱： bjkj@bjkjpress.com
经　　销： 新华书店
印　　刷： 北京博海升彩色印刷有限公司
开　　本： 787mm×1092mm　1/16
印　　张： 2.25
版　　次： 2020年6月第1版
印　　次： 2020年6月第1次印刷
ISBN 978-7-5714-0779-7 / Q · 187

定价：42.80元

穿越时空的自然博物馆

从海洋到陆地的第一天

北京自然博物馆 王 岑◎著

廖 杰 哐当哐当工作室◎绘

北京科学技术出版社

　　在大约 35 亿年前的地球上，最早的生命之一——
原生动物在海洋中出现了，它们的整个身体仅由一个
细胞组成，所以也叫单细胞动物。它们虽然仅有一个
细胞，却是一个完整的生命体，能完成生存需要的消
化、运动、排泄、生殖等所有生命活动。

原生动物的个头很小，种类很多，一滴水中就可能包含变形虫、草履虫、眼虫、夜光虫等多种原生动物。如果海洋中某些原生动物爆发性繁殖或高度聚集，海水就会变色，从而出现赤潮。生物种类不同，繁殖、聚集的数量不同，赤潮的颜色就不同。

当夜光虫爆发性繁殖或聚集时，它们会因为海水波动的刺激而发光。在夜间如果你踏着浪花走过，就会发现脚下泛起蓝光，像漫步在银河中一样。

夜光虫

夜光虫发光原理

夜光虫为什么会发光呢？因为它们身体里的荧光素与荧光素酶结合后可释放荧光。通常荧光素和荧光素酶不在一起，但在受到刺激时二者会相遇，荧光素活性被激活，夜光虫就会发光了。

后来，由很多细胞构成的多细胞动物出现了，它们的体形变大了。约 5.8 亿年前海洋中就已经生活着各种刺胞动物了。刺胞动物体内有刺细胞，刺细胞中通常有带毒液的刺丝囊，囊中有细长并盘卷着的刺丝。刺胞动物受到刺激时，刺细胞中的刺丝囊会被排出，喷射出刺丝来捕捉猎物或防卫。现在海洋中的水母、珊瑚、海葵等都是刺胞动物。

海葵没有骨骼，通常附着在岩石上捕食海水中的浮游生物。

珊瑚看起来像是生长在海底的"枝杈"，常被认为是美丽的植物。珊瑚虫是有骨骼的，珊瑚虫在生长过程中能够分泌碳酸钙，我们看到的珊瑚"枝杈"就是由珊瑚虫骨骼聚积而成的。由碳酸钙组成的珊瑚虫的骨骼经过漫长的沉积、石化，逐渐形成美丽的珊瑚礁。

水母警告牌

水母一旦遇到猎物就不会轻易放过。人们在海边玩耍时很容易被水母蜇伤，严重时甚至有生命危险。所以，在海边如果看到水母警告牌，就不要下海游泳了。

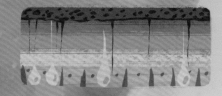

外骨骼

节肢动物身上甲壳质的表皮就是它的外骨骼，像关节一样有很多不相连的缝隙，活动起来很方便。这样的外骨骼能够：支撑身体，保护器官；抵抗化学的或机械的损伤；防止体内水分蒸发；使动物活动更自如。

在我国云南澄江 5 亿多年前的寒武纪地层中发现了大量无脊椎动物的化石，科学家把它们命名为澄江动物群。其中节肢动物的化石最多，它们都生活在当时的海洋中，基本都是身长几厘米的小生物，需要借助放大镜才能看清。节肢动物的"骨骼"像盔甲一样长在身体外面，是动物身上最早的硬骨。

蜕皮

外骨骼不能随身体的成长而扩大，这样就限制了节肢动物的成长，所以它们就会通过"蜕皮"来长大。在成长过程中，节肢动物要一次次"脱掉"已经不够大的"外套"，长出新的、合适的外骨骼，以有足够的成长空间。蜕皮时是节肢动物最脆弱的时候，很容易受到外界攻击。

日常生活中处处都能看到节肢动物。夏天野营的时候，蝴蝶、蜻蜓、蜜蜂随处可见，树上的知了不停鸣叫，漆黑的灌木丛中萤火虫闪闪发光。很多味道鲜美的海鲜也是节肢动物，如皮皮虾、大闸蟹、小龙虾；令人厌烦的苍蝇、蚊子、蟑螂也都是节肢动物。节肢动物让我们又爱又恨。

7

长壳的软体动物就比较幸运，它们的外壳能随着身体的生长而长大，不需要经历痛苦的蜕皮过程，它们只需舒舒服服地待在外壳这座"房子"里就行了。不过，软体动物中像章鱼和乌贼这样的头足纲动物就没有"房子"。

砗磲的生存

砗磲的壳能随着砗磲年龄的增长而增厚、增大。又厚又大的外壳能够最大限度地提供保护，却使砗磲丧失了运动能力。所以，砗磲需要与虫黄藻共生，通过虫黄藻的光合作用汲取能量。只要有阳光，砗磲就能存活。

厚重的外壳影响运动能力，轻薄的外壳却又减弱了防护能力，这简直是不可调和的矛盾。因此，在演化过程中，软体动物就走向了两个极端：加固外骨骼，重点突显防护能力，这类代表是砗磲；放弃外骨骼，重点突显运动能力，这类代表是乌贼。有壳的贝类移动速度很慢，而没有壳的乌贼却能眨眼间"跑"得不见踪影，这都是骨骼决定的。

乌贼的生存

乌贼放弃了坚硬的外骨骼，但是却可以快速移动。当柔软的肢体缺少保护时，"跑"得快便成为最有用的护身法宝。与乌贼做出了类似选择的，还有鱿鱼和章鱼等软体动物。

　　你有没有产生过这样的疑问，为什么同在一个世界，须鲸是庞然大物，磷虾却是迷你小个子？是什么决定了它们的大小呢？秘密就在于它们的骨骼。长在身体外面的外骨骼，虽然能够很好地保护动物的整个身体，但却限制了它们的体形和运动能力。而长在身体里面的内骨骼，既能保护动物的一些重要器官，也不会限制它们的体形。

内外骨骼小知识

　　在骨骼大小相同的情况下，外骨骼所能支持的重量比内骨骼小。所以大型动物的骨骼都是内骨骼，而很多小个头动物的是外骨骼。在漫长的历史长河中，生命从小个头一点点演化为大块头，这与动物骨骼从外骨骼到内骨骼的转变是分不开的。

我们吃鱼或排骨的时候能看到骨头（内骨骼）在肉里面；吃螃蟹、虾的时候就需要费力地把外面的硬壳（外骨骼）去掉才能吃到里面的肉。

那么谁的骨骼长在外面，谁的骨骼长在里面呢？其实很简单，无脊椎动物的骨骼都长在身体外面，而脊椎动物的骨骼都长在身体里面，并且都有一根贯穿身体的脊柱和位于脊柱前端的头部。脊椎动物包括鱼类、两栖类、爬行类、鸟类和哺乳类。

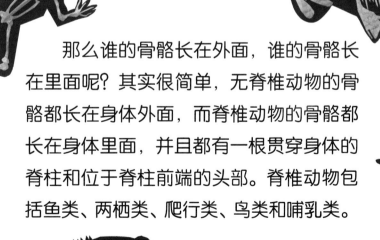

11

甲胄鱼

七鳃鳗

盲鳗

甲胄鱼

海洋中最早出现的动物都是无脊椎动物。最原始的脊椎动物是 5.3 亿年前出现的无颌类鱼形动物，包括现生的盲鳗、七鳃鳗，以及灭绝了的甲胄鱼。

甲胄鱼在志留纪和泥盆纪时是一个非常庞大的家族。当时它们身上的外骨骼还没有退化干净，头上厚重的骨甲好像古代战士穿戴的甲胄，因此得名甲胄鱼。它们生活在海底，嘴在腹面，没有颌也没有牙齿，靠在污泥中滤食微小的食物颗粒生存。甲胄鱼身上为什么有这么厚重的骨甲呢？古生物学家在相同地层中找到了大量的海蝎子化石，这种海蝎子是甲胄鱼的天敌，甲胄鱼可能是为了保护自己才演化出了厚厚的"铠甲"。

颌对生物的生存是非常重要的，我们每天说话、吃饭都会用到颌，我们的颌由上颌骨和下颌骨构成，可以张开和闭合。脊椎动物什么时候出现了颌？最早出现颌的是哪种动物？我们在鱼身上找到了答案。

盾皮鱼可能是最原始的有颌脊椎动物，它们出现在志留纪，在泥盆纪称霸水域。盾皮鱼的外形与甲胄鱼的很相似，但是盾皮鱼的外骨骼有很多块，骨骼关节可以活动，口周围的骨骼也可以活动，形成了可以使口自由开合的上下颌，使盾皮鱼可以主动捕获食物。

软骨鱼代表：鲨鱼

甲胄鱼、盾皮鱼属于原始鱼类，它们身上的骨甲不利于快速运动，所以后来它们灭绝了。想要在水中快速运动就要轻装上阵，现代海洋中的两大类鱼群——软骨鱼和硬骨鱼——"脱下"了体表的骨甲，有了流畅的梭形外观。它们利用脊椎和其周围发达的肌肉摆动身体和尾巴，快速游动时更省力，大大提高了捕食和逃离速度。

13

泥盆纪是鱼类的时代。在泥盆纪晚期，地壳运动十分剧烈，许多水塘逐渐干涸，生活在浅水区的鱼类大部分都死亡了。有一类硬骨鱼，它们的鱼鳍有了骨骼和肌肉，成为可以支撑身体爬行较短距离的肉质鳍，它们就是肉鳍鱼。肉鳍鱼凭借着肉质鳍支撑身体，挪动到附近的水塘中继续生活。久而久之，它们的肉质鳍越来越强壮并能适应陆地行走，最后演化成四肢。

腔棘鱼是生活在深海中的肉鳍鱼，它们的骨骼十分特殊，头骨分开形成了可以固定前肢的肩胛带，并使得前肢与头部可以分开运动，这是在动物身上出现得最早的"肩膀"。这一变化为动物在陆地上生活带来了极大的便利。

拉蒂迈鱼事件

　　1938 年 12 月 22 日，在非洲东海岸的东伦敦港附近的海中，渔民捕捞到了一条长约 1.5 米的大鱼。这条鱼闪着蓝光，体形肥胖，尾鳍像长矛的矛头。最惊人的是，这条鱼的四个肉质鳍很像动物的四只脚。在当地博物馆工作的拉蒂迈女士认为这一形态奇特的鱼是新物种，于是画了一幅草图寄给著名古鱼类学家。最终确定了这条鱼属于被认为早在 6000 万年以前就灭绝了的腔棘鱼。这条鱼的发现震惊了世界，如此古老的鱼竟然一直活着，简直就是验证"我们的祖先就是鱼"的活化石。为了表彰和纪念拉蒂迈女士的贡献，这种鱼被命名为拉蒂迈鱼（也叫矛尾鱼）。

为了逃离不断缩小的水塘或捕食已经到陆地上生活的昆虫，这些肉鳍鱼经过不断重复的登陆动作，两个胸鳍变为可以在陆地上行走的前脚，两个腹鳍变为后脚，最终适应了长期在陆地上生活。

青蛙是我们最熟悉的两栖动物，它们一次产很多卵，一周左右卵会孵化出蝌蚪。蝌蚪在水中生活，刚开始只能靠体内残存的卵黄供给营养。长出嘴巴后，它们可以摄食水中的微生物。发育到一定时期，蝌蚪会先后长出四肢，尾部也逐渐萎缩，最终变成青蛙。

　　有些鱼类能够适应陆地环境，并逐渐繁衍演化，最终变成两栖动物。两栖动物的最大特点是，它们开始用肺和皮肤呼吸，它们的心脏比鱼的心脏多了一个心房。两栖动物的出现开启了陆生脊椎动物的新时代。蚓螈、蝾螈和蛙都是两栖动物，它们皮肤裸露，绝大多数在水中产卵。

在水中即使身体沉重也可以漂浮，在陆地则需要自己支撑自身体重。因此，陆地四足动物的骨头要发挥更大的作用，必须变得更加发达，脊椎与鱼类相比也有了很大的不同。两栖动物出现了颈椎、躯干椎、荐椎和尾椎。

水中的鱼类没有肺，它们的胸部不需要特别的保护。陆生动物用肺呼吸，胸部塌陷会影响肺的工作，因此它们都演化出了结实的肋骨，而且胸廓在呼吸时可以扩大和缩小。

两栖动物虽然已经成功地在陆地上生活，但仍然没办法在陆地上产卵，也没办法使身体内的水分不过度蒸发。而蜥蜴、蛇、乌龟等爬行动物比两栖动物更适应陆地生活。它们身上的骨骼更加坚硬，这对于在陆地上支撑身体、防止体内水分蒸发、保护内脏器官和提供强大的运动能力都非常重要。

同时，爬行动物产的卵有保护壳，这是它们在陆地上繁衍下去的关键。

爬行动物的脊椎分为颈椎、躯干椎、荐椎和尾椎。它们的颈椎数量比两栖动物的多，头可以灵活转动，保证了头部感官的充分利用，这是陆生脊椎动物的重要特征。它们胸椎上发达的肋骨与胸骨一起构成胸廓，使肺的呼吸机能加强了，对内脏器官的保护也加强了。

乌龟的骨质外壳和犰狳身体表面甲片似的钙质骨板，就像盔甲一样能起到很好的保护作用。在遇到危险时犰狳还可以蜷缩成球状，来防御敌人的袭击。

为了减轻体重、有利于飞行，鸟类的骨头是中空的含气骨。

鸟类是从长羽毛的小型恐龙演化而来的，为了适应空中生活，它们的骨骼发生了很大的变化。鸟类没有牙齿，猛禽会用有力的利爪和尖利的钩嘴来撕扯猎物。

有些猫头鹰的一只耳朵比另一只耳朵高一些，这一不寻常的特征让猫头鹰只要听到隐藏在树叶下或雪下的老鼠轻微的移动声，便能精准地判断出老鼠的位置。猫头鹰的蝶状脸也有助于引导微弱的声音进入耳朵。

在鸟类王国中，鸽子和一些强壮的飞禽拥有较大的龙骨，用来支撑重量超过体重 1/3 的飞行肌肉群。而有的成员已经适应了海里的生活，它们虽然和飞禽一样，拥有较大的龙骨和飞行肌肉群，但只能用前肢充当脚蹼在水中"飞翔"来追捕鱼类，比如企鹅。

鸟类拥有 11~25 块颈椎骨，所以它们的颈部十分柔韧灵活。因为鸟类的眼球不能灵活转动，所以柔韧灵活的颈部能让鸟在嘴里衔着食物的时候还能环视四周。

哺乳动物通常是长有毛发的恒温动物。从沙鼠到长颈鹿，几乎所有哺乳动物颈椎骨的数量都是 7 块。

返回海洋的哺乳动物

在演化过程中又返回海洋的哺乳动物重新适应了水中生活。鲸和海豚的前肢演化成了鳍肢，后肢几乎全部退化了，它们通过摆动强壮的脊柱游动，并用扁平的鳍状前肢掌控方向。

猎豹的脊柱

陆地上奔跑速度最快的动物是猎豹，它们的秘密武器是灵活的脊柱。猎豹的脊柱可以高高拱起，能像弹簧一样储存能量，随后伸展开来，产生巨大的推力。高度灵活的脊柱让猎豹可以前腿和后腿交叉，使其奔跑时步幅更大，速度更快。

人类属于灵长类哺乳动物，灵长类动物也包括猿和猴子。它们大多拥有适合在树上生活的骨架结构和有利于攀爬的四肢。猿类的肩膀有别于猴类以及其他哺乳动物的，它们的肩胛骨在背侧，这样它们活动时就可以挺起胸脯。而猴子不一样，大多数猴子的行走方式和狗的类似，它们用四条腿前进。随着我们的祖先开始直立行走，他们的肩膀也变得越来越灵活。

狗和狼的肩关节

大多数四足哺乳动物的肩膀结构，有助于它们行动更加迅速。狗和狼的肩胛骨长而窄，而且没有锁骨的束缚，这使得肩胛骨能自由摆动，因此它们奔跑时步子更大，速度更快。

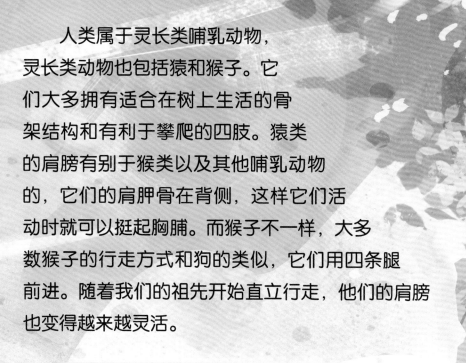

和大多数肉食性哺乳动物不一样，人类没有爪子和大犬齿这样的捕猎工具。于是，我们的史前祖先依靠石头和长矛来杀死猎物。人类可以将手臂举过头顶，这使得我们十分善于投掷。我们与其他动物还有一个重大差异，那就是拥有强有力的上肢。大多数动物的前肢只能帮助它们移动，比如行走、飞行、游泳或者攀爬。我们的上肢却可以完成多种工作。

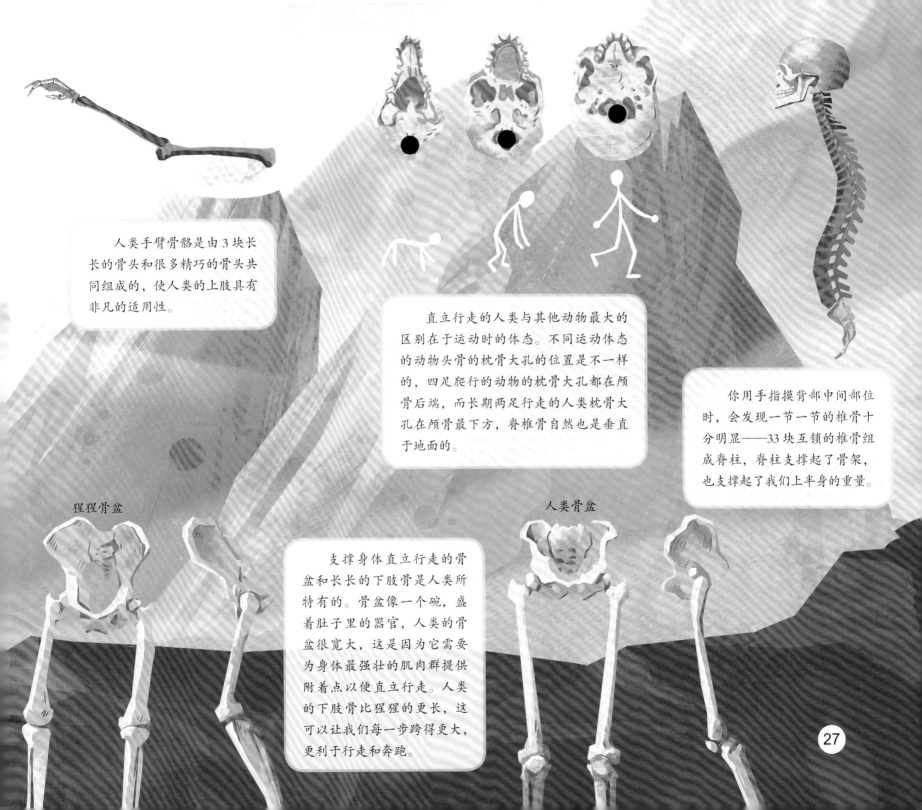

人类手臂骨骼是由3块长长的骨头和很多精巧的骨头共同组成的，使人类的上肢具有非凡的适用性。

直立行走的人类与其他动物最大的区别在于运动时的体态。不同运动体态的动物头骨的枕骨大孔的位置是不一样的，四足爬行的动物的枕骨大孔都在颅骨后端，而长期两足行走的人类枕骨大孔在颅骨最下方，脊椎骨自然也是垂直于地面的。

你用手指摸背部中间部位时，会发现一节一节的椎骨十分明显——33块互锁的椎骨组成脊柱，脊柱支撑起了骨架，也支撑起了我们上半身的重量。

猩猩骨盆

人类骨盆

支撑身体直立行走的骨盆和长长的下肢骨是人类所特有的。骨盆像一个碗，盛着肚子里的器官，人类的骨盆很宽大，这是因为它需要为身体最强壮的肌肉群提供附着点以便直立行走。人类的下肢骨比猩猩的更长，这可以让我们每一步跨得更大，更利于行走和奔跑。

27

随着时间的推移，动物的骨骼不断变化着，地球上的生命从海洋走上了陆地，运动形式也从最初的漂浮发展到游泳、爬行，进而奔驰和飞翔，最终实现了直立行走。

29